HERVÉ MAGNIN

Petit cahier d'exercices pour oser réaliser ses rêves

Illustrations Jean Augagneur

jouvence EDITIONS

PETIT CAHIER
Sport cérébral du bien-être

Du même auteur aux Éditions Jouvence

Moi, surdoué(e) ?!, 2010
La positive solitude, 2010
C'est décidé, je m'aime !, 2009
Susceptible et bien dans ma peau, 2008
Surmonter ses peurs, 2008

Dans la même collection PETIT CAHIER

Petit cahier d'exercices d'intelligence émotionnelle, Ilios Kotsou, 2011
Petit cahier d'exercices de méditation au quotidien, Marc de Smedt, 2010
Petit cahier d'exercices pour cultiver sa joie de vivre au quotidien, Anne Van Stappen, 2010
Petit cahier d'exercices d'entraînement au bonheur, Yves-Alexandre Thalmann, 2009
Petit cahier d'exercices du lâcher-prise, Rosette Poletti & Barbara Dobbs, 2008

Catalogue gratuit sur simple demande

ÉDITIONS JOUVENCE
BP 90107 - 74161 Saint Julien en Genevois Cedex
Suisse : CP 184 - 1233 Genève-Bernex
Internet : **www.editions-jouvence.com**
Mail : info@editions-jouvence.com

ISBN 978-2-88353-728-6

Couverture et maquette d'intérieur :
Stéphanie Roze (Éditions Jouvence)
Réalisation : Fabienne Vaslet
Dessins de couverture et intérieurs : Jean Augagneur

illustrations intérieures : Pages 25 et 32, © DR
Pages 57 et 61 (parchemin), © Fotolia/Alx

Sommes-nous de doux rêveurs ?

Sentez-vous l'ironie contenue dans cette expression ? Vous sentez-vous concerné(e) par cette question ? Suis-je un doux rêveur ? Pour ma part, je rêve souvent et je suis doux parfois. Quand on dit de quelqu'un qu'il est rêveur, la remarque sous-entend que la personne n'a pas bien les pieds sur terre, qu'elle est déconnectée de la réalité. Souvent, rêve et réalité sont présentés de façon binaire, comme deux concepts opposés. Il va de soi que je conteste fermement cette vision simpliste. S'il faut choisir un camp, je choisis celui de l'union.

Imaginer, concevoir ce qui n'existe pas encore, peut faire sourire. Les rêveurs sont sujets aux moqueries. Seuls ceux qui apportent la preuve formelle du réalisme de leur utopie sont admirés. Et encore, pas toujours... rêver, c'est être pionnier du préexistant.

Rêver, à quoi ça rime ?

« S'envoler dans les airs, ça faisait bien - - ver
On s'est longtemps moqué de ceux qui croient - - - sible
Ce que la foule ignore, il y a urgence à - - - - ver
Mais la majorité se croit aveugle à l'- - - - sible. »♪

Nos rêves ne sont pas faits que pour orner nos nuits. Ils doivent inspirer nos jours. La nuit donne la direction ; le jour donne le pas sur le chemin.

« Le meilleur moyen de réaliser ses rêves est de se réveiller. »
Paul Valéry

Nos rêves profonds sont très singuliers, très personnels. Si nous n'y veillons pas, nous pouvons subir les rêves des autres. La publicité, le star system (et d'autres formes de manipulation de masse) se chargent de coloniser notre imaginaire.

♪ Les références des chansons de l'auteur, citées dans ce « Petit Cahier », figurent en fin d'ouvrage.

« Quand je ne crois plus à mes - - ves
Ou que je vis ceux des - - tres
Quand moins souvent mon poing se - - ve
Que je ne suis plus des - - tres. »

Yannick Noah, « La voix des sages »

La voix des sages nous invite à écouter la voix du sage qui sommeille en chacun. Connaissez-vous vos rêves profonds ?

Tentons un premier jet à froid !

Mes rêves :

....

....

....

....

....

....

....

....

....

Peut-être avez-vous eu quelques difficultés à identifier vos rêves ? Certaines personnes n'y parviennent pas sans un sérieux coup de pouce. Ce « Petit Cahier » peut vous aider à connaître vos rêves, au cas où certains seraient enfouis profondément dans votre inconscient.

Nos rêves sont très précocement mis à l'épreuve du redoutable « principe de réalité ». Prendre conscience de la subjectivité de ce principe est une étape importante pour libérer l'énergie puissante contenue dans nos rêves refoulés.

Très tôt, l'enfant reçoit de nombreux messages qui prétendent définir ce qui est possible et ce qui ne l'est pas.

Il est normal (structurant) que l'environnement éducatif pose ces cadres à l'enfant. Sa sécurité en dépend. Observons cependant que les adultes qui imposent ces repères aux enfants n'ont pas toujours pris le temps ou la peine de séparer le bon grain de l'ivraie.

Avec le temps, certaines idées du possible, du convenable se figent dans notre esprit. Parfois, la vie (une rencontre, un voyage...) se charge de remettre en cause ces trompeuses évidences. Parfois, c'est dans le cadre d'une thérapie que le déconditionnement s'opère.

Ainsi, de précoces injonctions éducatives (parentales, le plus souvent) réduisent le champ des possibles. Puis souvent, quelques expériences concrètes, audacieuses mais finalement dissuasives, renforcent des croyances précoces et invalidantes. Ces tentatives décourageantes verrouillent ainsi la porte de l'imaginaire. Sous une pression normative, on finit par se suradapter. Cette suradaptation peut nous pousser à vivre les rêves des autres et non les siens propres. Connaître, reconnaître et s'accrocher à ses propres rêves, je ne connais pas grand chose qui rende plus vivant. Tenter de se mettre en conformité avec eux donne une force, une énergie puissante. Si votre vie semble ne guère avoir de sens, c'est que vous êtes déconnecté(e) de cette source vivifiante.

YA-T-IL UNE VIE AVANT LA MORT?

Mais peut-être vous épuisez-vous à réaliser le rêve d'un autre. Relisez votre liste de rêves de la page 5 et essayez de déterminer si ces rêves vous appartiennent vraiment.

Reconnaître ses propres rêves revient à s'exposer à être délicieusement différent.

Il n'y a pas de vilain petit canard. Un cygne n'est ni vilain, ni canard. Il se trouve beau dans son propre regard quand il se connecte à son être profond, résolument singulier. Derrière ses rêves qui lui sont propres, il y a une mine d'or : ses valeurs. Derrière les valeurs, des idéaux, porteurs de sens.

Connaissez, reconnaissez vos valeurs morales !
N'hésitez pas à observer le ressenti émotionnel, voire à quantifier (choisissez votre échelle) l'intensité des émotions qui vous font le plus vibrer, celles qui résonnent fort en vous.

Les rêves étant intimement reliés aux valeurs, vérifiez que les valeurs qui vous viennent sont bien les vôtres et non celles que vous ont inculquées vos parents, votre éducation, votre entourage professionnel ou familial...

Mes valeurs, mes idéaux	Vibration	Miennes
La sécurité, avoir une « bonne » situation	6/10	non
La justice	9/10	oui

Retrouvez cette citation de Daniel Pennac :

Si tu rames – Oh, pardon pour cette familiarité ! – si VOUS ramez sur ce rébus, je VOUS indique que c'est sur VOUS que ce doigt est pointé et que ce Petit Cahier est là pour VOUS rappeler qu'il VOUS appartient de VOUS appartenir.

Êtes-vous prêt(e) à explorer VOTRE mine ?

« Nous - - - - - - tous - - - - - - - - - - - sur une mine d'or
Ne cherchons pas ailleurs, fouillons à l'intérieur !
Rien en surface, il faut creuser ; chasse au trésor
- - - - - - - - - - de soi, apprivoisons nos peurs !
Unir mon - - - - - - - - - - à celle des autres
Mais que dire d'une - - - - - - - - - - tellement précoce ?
N'étouffez pas les nôtres et - - - - - - les vôtres !
Petits et grands, gardons vivants nos - - - -s - - - - - - !
Petits et grands, gardons vivants nos - - - -s d'enfant ! »

Les mots manquant de cet extrait de la chanson "Rêves de gosse" sont en bleu pâle dans la grille de mots croisés.

Horizontalement

1. Rêve aujourd'hui, réalité demain 2. Energie renouvelable ancienne et profonde 3. Ça arrive 4. Greffe 5. Île d'avant - Quelqu'un à aimer pour oser réaliser mes rêves 6. Tutu les a voulus, tutu les eus - Du sable, en rêve ou en cauchemar 7. Ne la cherchons pas ailleurs, fouillons à l'intérieur ! - Ignorée 8. Rêve de plume d'oisif - Rêve de clous, de vices 9. Micro-puce musicale 10. Laissons place au rêve ? - Redonne à ta vie sa vraie valeur, redonne à ce monde toutes ses couleurs ! 11. Est au renoncement ce que la compromission est au compromis 12. Paresseux qui vit une vie de rêve - Jouît 13. Laissez respirer.

Verticalement

A. Vieille crise - Pueblo andalou B. Mauvaises affaires - Bon comme le pied, pour vivre ses rêves C. Assez audacieux pour vivre nos rêves D. Pourvue d'une qualité souvent méprisée - 50/50 E. Conceptuelles - Est au cauchemar ce que la fée est au rêve F. Doigt qui se mange avec les doigts - Articule singulièrement - Péter comme un Dieu G. Infécondité - Fécond de sobriété H. Mon son quand j'ai le bon - L'extase des nazes I. Séparent les mers, relient les pairs - Dans la main, il peut empêcher de réaliser ses rêves J. Il peut empêcher de réaliser ses rêves - Sereinement au pied de Montcalm - Opéra à deux balles K. Sans attention.

	A	B	C	D	E	F	G	H	I	J	K
1											
2											
3											
4											
5											
6											
7											
8											
9											
10											
11											
12											
13											

Rien en surface, il faut creuser... Chasse au trésor. Un autre moyen pour déterrer votre énergie onirique consiste à identifier vos héros (réels ou fictifs). Ceux que vous admirez sont une source d'inspiration. Ceux qui vous font rêver par procuration peuvent aussi vous indiquer un chemin concret de réalisation personnelle.

Par exemple, Zorro a peuplé mon enfance en cultivant les valeurs de courage, de justice, d'humilité.

Est-ce à dire que je doive apprendre à manier l'épée avec talent ? Pas sûr. Chaque rêve d'enfant doit être réactualisé, élaboré, approprié.

Qui sont vos héros et que vous inspirent-ils ?

Héros	Valeurs	Rêves «actualisables»
Pierre Rhabi	Écologie, justice sociale	Soutenir un paysan local en lui achetant ses produits bio

Peu à peu, on se rapproche. Plusieurs chemins mènent à soi...

Il y a un chemin qui me touche particulièrement. Je m'y suis engagé en 2006. Il s'agissait alors de répondre à une question qu'on se pose rarement : qui serai-je à 50 ans ? Par extension, amusement et goût de la provocation, j'avais poussé la question un peu plus loin : Qui serai-je à 100 ans ? Dans ma projection, je n'étais pas à un demi-siècle près. J'ai ainsi commencé à rédiger une autobiographie projective qui commence virtuellement le 6 juin 2063.

Ne craignez pas de vous projeter dans l'avenir !
En complément de la question « Quel beau vieillard veux-je devenir ? » en vient une autre, plus concrète : « Que dois-je faire aujourd'hui pour m'approcher de ce que j'aimerais devenir demain, après-demain, à 100 ans ?... »

Le passé et l'avenir peuvent être des alliés pour composer le présent. Quelle belle personne voulez-vous devenir ? Imaginez-vous dans dix ans, dans cinquante ans…

Dans 10 ans, ...

....

....

....

Dans 50 ans, ...

....

....

....

Que devez-vous faire maintenant, demain, dans dix ans pour devenir cette belle et noble personne ?

Dès maintenant, ...

....

....

....

Dans 10 ans, ...

....

....

La liste, contenue dans ce Petit Cahier, de ce qui peut nous aider à rendre conscients nos rêves n'est pas exhaustive. J'y ajoute une autre voie :

Les rêves sont souvent contenus dans nos rêves !

Pour une fois, j'évoque une acception classique du rêve nocturne. Il n'est pas facile d'interpréter le sens des messages de la nuit et d'en tirer parti pour le jour. Peut-être est-ce pour vous une voie à explorer...
J'espère que vous commencez maintenant à avoir une liste conséquente de rêves, des petits, des moyens, des grands.

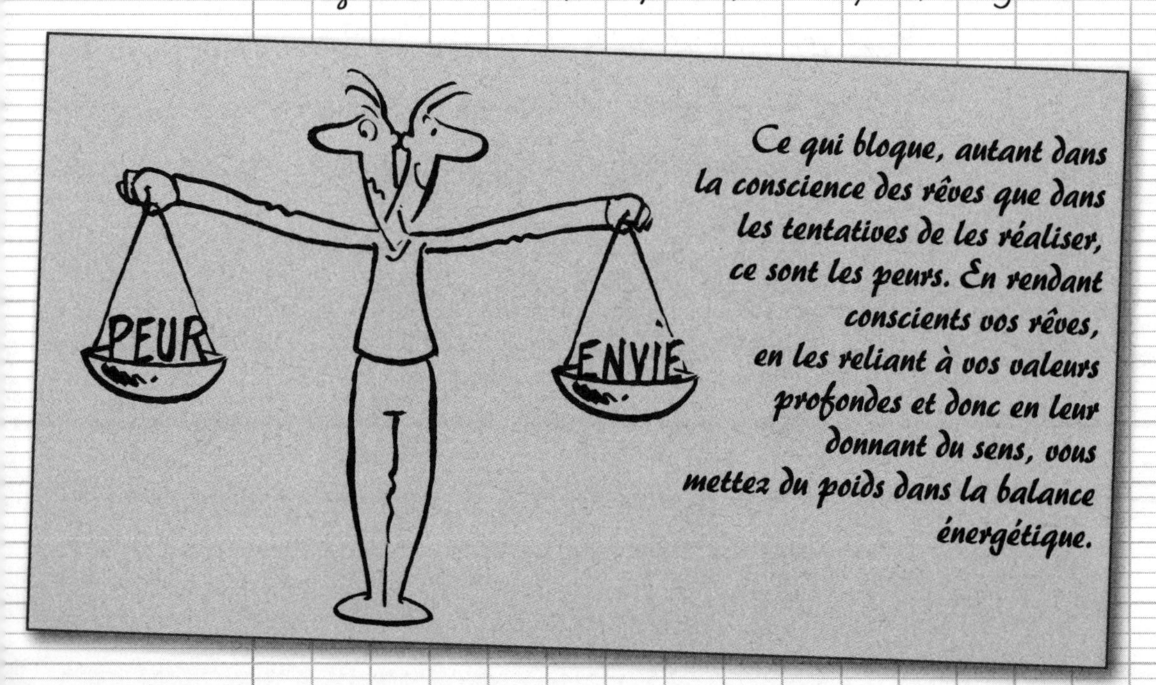

Ce qui bloque, autant dans la conscience des rêves que dans les tentatives de les réaliser, ce sont les peurs. En rendant conscients vos rêves, en les reliant à vos valeurs profondes et donc en leur donnant du sens, vous mettez du poids dans la balance énergétique.

La conscience des peurs est aussi importante que la conscience des envies. Les peurs inconscientes sabotent de façon occulte tout projet motivant, sans que l'on comprenne bien la cause des résistances au changement désiré. Même le volontarisme ne résiste pas à une balance sur laquelle une peur non identifiée pèse de tout son poids. Pour réaliser vos rêves, il vous faut impérativement explorer les peurs qui vous en ont éloigné(e) depuis si longtemps.

L'énergie, l'élan, l'enthousiasme résultent d'une balance où la peur pèse sensiblement moins lourd que le poids du rêve.

Pour diminuer le poids des peurs et libérer l'énergie du rêve, il faut commencer par nommer les peurs, puis considérer raisonnablement les enjeux, estimer les risques véritables d'oser ou non.

Prenez un des rêves qui vous tiennent à cœur et tentez d'identifier ce qui vous inquiète, ce que vous redoutez à l'idée de réaliser votre rêve ou d'échouer dans sa réalisation.

....

....

....

....

....

Nos peurs

Nos peurs sont beaucoup plus spécifiques, personnelles qu'on a tendance à le penser. Certes, il y a des peurs génériques dans lesquelles on peut se reconnaître. Peur de l'échec, d'être déçu(e), de ne pas être capable, peur du ridicule, de ne pas être compris(e), d'être rejeté(e). Ces peurs s'ancrent dans des besoins grégaires profonds d'intégration et de reconnaissance. Il n'est pas question de renoncer à satisfaire ces besoins, mais plutôt de se demander s'ils peuvent être satisfaits autrement, davantage dans le respect de soi-même et donc de ses aspirations profondes.

Les peurs trempent dans un bain d'irrationalité. Prenez le temps de considérer le plus rationnellement possible les conséquences probables de ce qui vous effraie. La peur inhibe l'esprit critique. Apprenez à utiliser cet esprit critique, et vous verrez comme vos peurs perdront de leur consistance.

Il ne s'agit pas de nier le danger mais de remplacer la frayeur par la prudence.

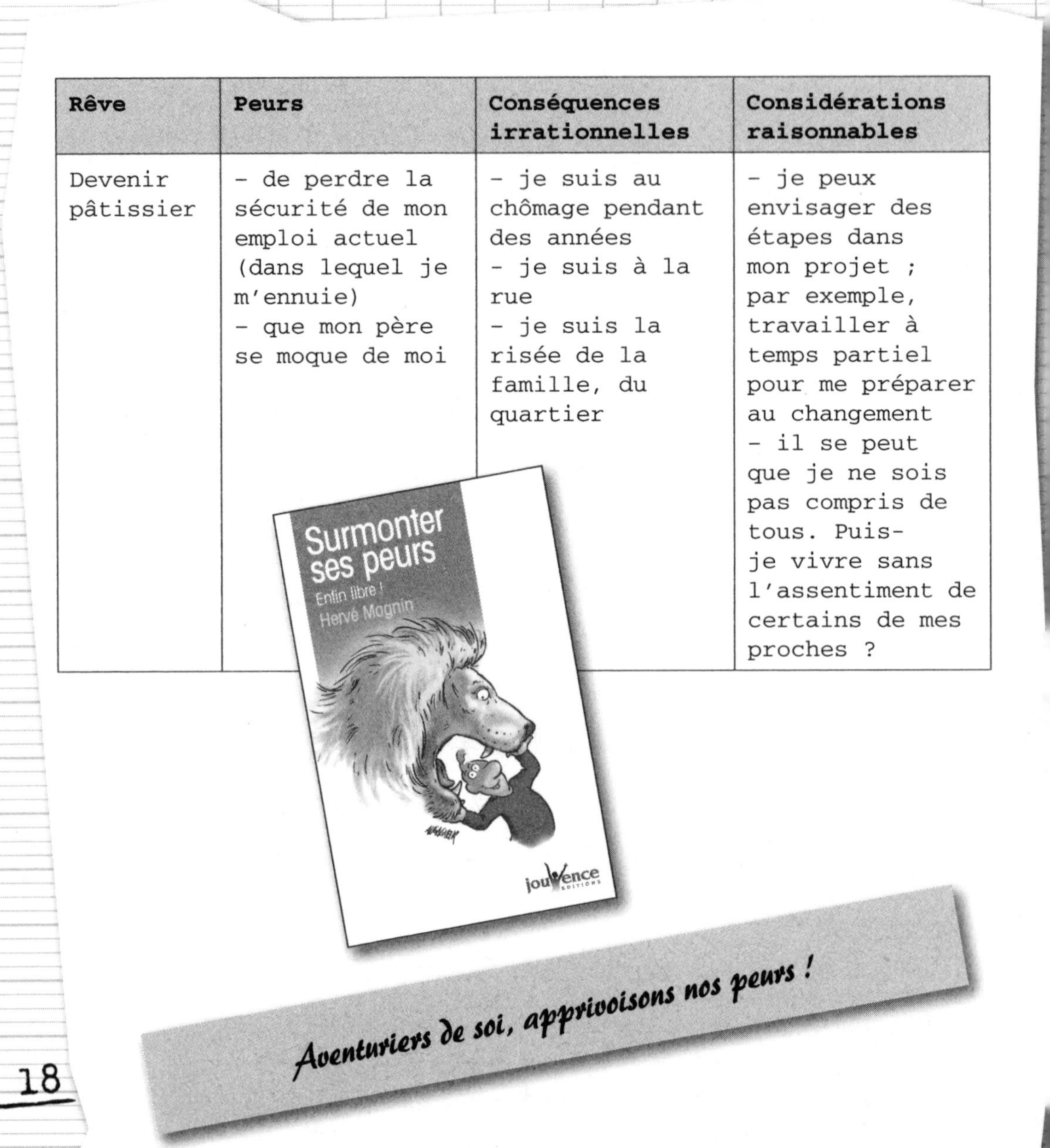

Rêve	Peurs	Conséquences irrationnelles	Considérations raisonnables
Devenir pâtissier	– de perdre la sécurité de mon emploi actuel (dans lequel je m'ennuie) – que mon père se moque de moi	– je suis au chômage pendant des années – je suis à la rue – je suis la risée de la famille, du quartier	– je peux envisager des étapes dans mon projet ; par exemple, travailler à temps partiel pour me préparer au changement – il se peut que je ne sois pas compris de tous. Puis-je vivre sans l'assentiment de certains de mes proches ?

À vous de jouer !

Rêve	Peurs	Conséquences irrationnelles	Considérations raisonnables
–	– – –	– – –	– – –
–	– – –	– – –	– – –
–	– – –	– – –	– – –
–	– – –	– – –	– – –
–	– – –	– – –	– – –

Parmi nos peurs inhérentes à nos aspirations profondes, cerrtaines sont liées à l'idée que nous nous faisons de nous-même. L'estime de soi est une dimension majeure car elle conditionne la croyance en nos capacités à réussir, mais aussi – et c'est très important – en nos capacités à échouer (c'est-à-dire nos aptitudes à nous remettre d'un échec et à essayer encore).

Attribuez chaque citation à son auteur…

1. « Celui qui se relève est plus fort que celui qui n'est jamais tombé. »

2. « Ce qui ne me tue pas me rend plus fort. »

3. « Ce n'est pas parce que les choses sont inaccessibles que l'on n'ose pas ; c'est parce que l'on n'ose pas qu'elles sont inaccessibles. »

4. « La seule chose qu'on est sûr de ne pas réussir, c'est celle qu'on ne tente pas. »

5. « Ils ne savaient pas que c'était impossible, alors ils l'ont fait. »

6. « Les grands ne nous paraissent grands que parce que nous sommes à genoux. »

A. Paul-Émile Victor

B. Sénèque

C. Mark Twain

D. Étienne de La Boétie

E. Friedrich Nietzsche

F. Anonyme

…et choisissez celle qui vous inspire le mieux !

Sénèque ajoute que « seul l'arbre qui a subi les assauts du vent est vraiment vigoureux, car c'est dans cette lutte que ses racines, mises à l'épreuve, se fortifient ».

Ne craignons donc pas d'échouer. Vouloir réussir du premier coup est un piège qu'il faut remplacer par la stratégie et la persévérance.

Dans une logique de projet, un bon stratège met des moyens face à des objectifs. La ressource principale de vos rêves, c'est…

Ressource	√
l'argent	
l'État	
un Pygmalion	
la famille	
le marché	
Dieu	
la chance	
autre :……………………	
vous-même	

J'espère que vous avez coché √Vous-même. Compter sur soi n'exclut pas de rechercher des alliances, d'avoir recours à des aides. Mais pour se fier à soi, il faut se sentir fiable, avoir confiance en soi. Étymologiquement, avoir foi en soi.

Intéressons-nous aux moyens humains les plus essentiels pour réaliser vos rêves.

Tout projet – qui plus est, un projet de vie – nécessite d'une part, des ressources et d'autre part, la conscience de ces ressources. Cette conscience donne foi en soi. Pour réaliser un rêve, vous devez posséder des qualités, des compétences, des atouts. Quels sont les vôtres ? Identifiez-les pour chacun de vos rêves !

Rêve	Qualités requises pour le réaliser	Dans quelle mesure est-ce que je possède chacune de ces qualités ? (note sur 10)	Est-ce suffisant ? Dois-je me former davantage pour les acquérir ou les compléter ?
–	– – –		– – –
–	– – –		– – –
–	– – –		– – –
–	– – –		– – –

> «Ce n'est pas ce que nous sommes qui nous empêche de réaliser nos rêves ; c'est ce que nous croyons que nous ne sommes pas.»
>
> Paul-Émile Victor

Vous connaissez sûrement la différence entre un rêve profond et un simple caprice. Alors, vous ne vous découragerez pas si certaines qualités ne sont pas encore suffisamment développées chez vous. L'une des premières étapes consistera à les acquérir. Si votre rêve est profondément ancré en vous, alors vous prendrez plaisir à apprendre, à vous préparer. Et vous découvrirez que certains rêves se réalisent au cours de cette préparation.

Le bonheur est sur le chemin
et pas forcément au bout du chemin.

En consacrant une part importante de ma vie à créer un monde de justice et de paix, je réalise mon rêve le plus cher, ici et maintenant. Ce monde auquel j'aspire, je sais que je ne le verrai pas de mon vivant. Cela ne me décourage pas.

« Quand les hommes vivront d'amour
Il n'y aura plus de misère
Et commenceront les beaux jours
Mais nous, nous serons morts mon frère. »

« Quand les hommes vivront d'amour »
Raymond Lévesque, 1956

Alors quid des utopies ? Au début du XXe siècle, l'égalité des droits, dans un pays ségrégationniste comme les États-Unis, pouvait sembler une utopie. Pourtant, pour Martin Luther King, elle n'était pas un vague fantasme, mais un rêve réaliste. Nombre d'utopistes devancent le réel en l'imaginant avant de le créer.

Thomas More créa le néologisme utopie au XVe siècle. Les pessimistes pensent que le mot utopie est formé à partir du grec « ou-topos », qui signifierait « en aucun lieu ». Les optimistes préfèrent penser que le préfixe grec n'est pas le ou- privatif mais eu- qui signifie bien, bonheur.

Comment ne pas relier la notion de rêve à celle de bonheur ?

Il n'y a pas de bonheur sans alignement sur les valeurs, sans se mettre en phase avec ce qui est profondément porteur de sens pour soi.

« Comment mettre fin à l'oppression,
Discriminer la discrimination ?
Certains sont soumis, d'autres se sont levés
L'un d'entre eux a dit "Cette nuit j'ai rêvé
Je fais un rêve, j'adresse un vœu légitime
À qui veut l'entendre : I have a dream". »

L'épreuve du miroir est soit impitoyable et cruelle, soit résolument épanouissante.

Cette mise en phase, est-elle possible ?

Jouons un peu !

Posez le crayon où vous voulez sur la feuille. Sans relever le crayon, reliez les 9 points en traçant des lignes droites. Mais en 4 lignes maximum… **est-ce possible ?**

Jouons encore !

La logique et la patience sont des qualités intéressantes à développer pour réaliser un rêve. Le wordoku repose sur le même principe que le sudoku : en partant des lettres déjà inscrites, vous devez remplir la grille de manière à ce que

- chaque **ligne**,
- chaque **colonne**,
- chaque **carré de 3 par 3**,

contienne une seule fois les 9 lettres du jeu.

			A				O	E
	A			I	O			
I	O			Y	C	U	A	
N		A					C	
E	C						N	Y
	I					E		S
	Y	U	N	O			I	A
			I	C			S	
C	N				A			

Je vous laisse découvrir le secret contenu dans le carré central.

> « Donner des couleurs au rêve américain,
> Faire en sorte que chacun soit quelqu'un
> Rebaptiser la Maison Blanche,
> En "Maison Métisse". Faut que ça change !
> Est-ce possible ? J'en entends qui ricanent
> Un métis répondit "Yes we can". »

Peut-être avez-vous réussi le classique casse-tête des 9 points proposé à la page 25. Dans le cas contraire, vous vous êtes laissé(e) emprisonner dans un cadre qui n'est pas contenu dans la consigne de l'exercice, mais dans votre tête. Peut-être vous êtes-vous imposé une contrainte inutile qui rend le défi plus difficile, et peut-être impossible.

Dans cet exercice, beaucoup de personnes s'empêchent de sortir de ce cadre abstrait qu'est le carré entourant virtuellement les 9 points. Si c'est votre cas, essayez encore en vous libérant de cet obstacle inutile.

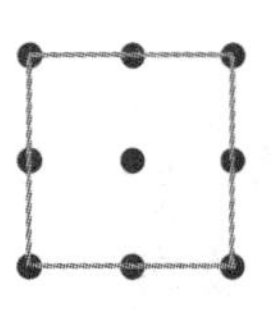

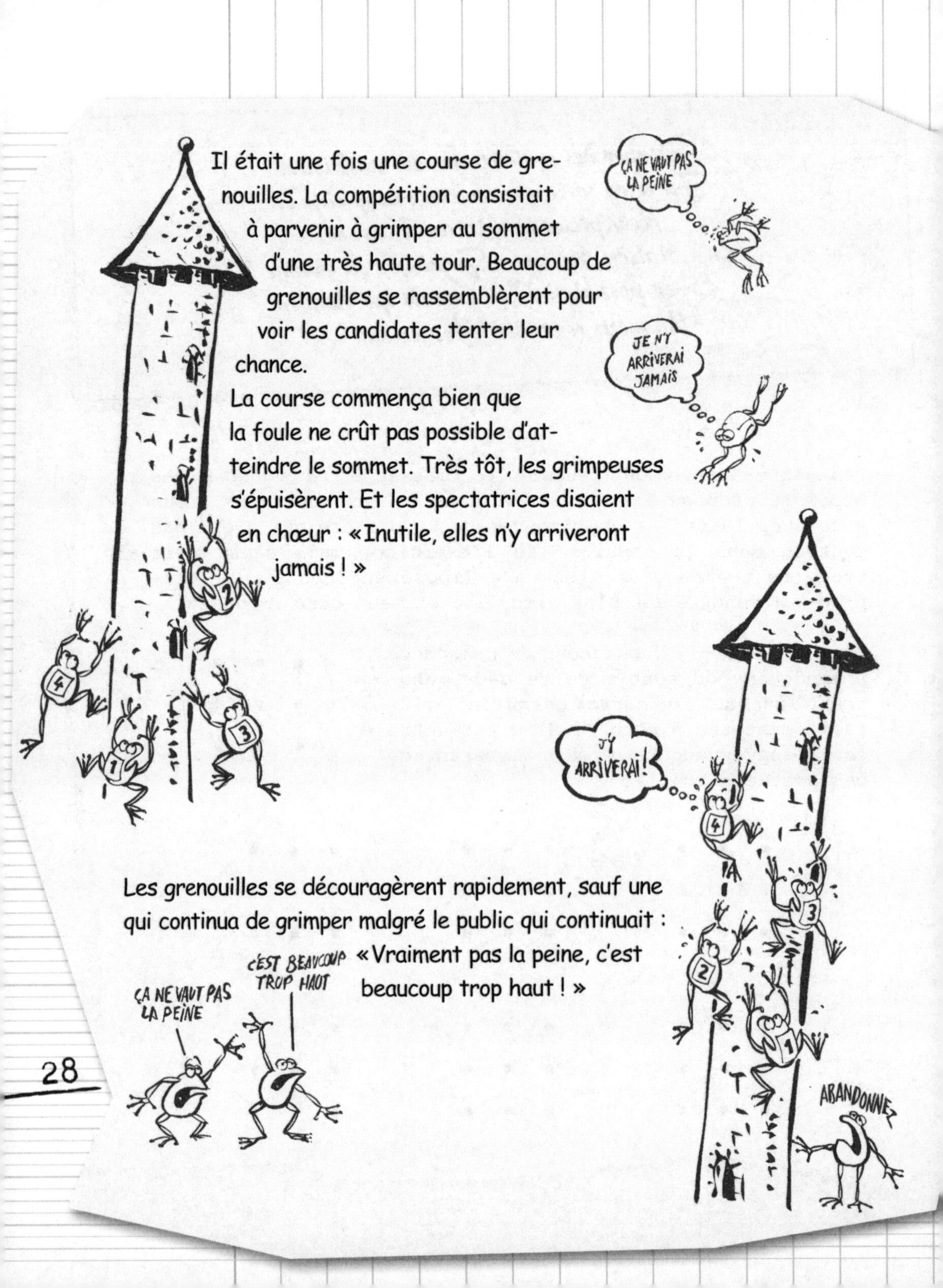

Il était une fois une course de grenouilles. La compétition consistait à parvenir à grimper au sommet d'une très haute tour. Beaucoup de grenouilles se rassemblèrent pour voir les candidates tenter leur chance.

La course commença bien que la foule ne crût pas possible d'atteindre le sommet. Très tôt, les grimpeuses s'épuisèrent. Et les spectatrices disaient en chœur : « Inutile, elles n'y arriveront jamais ! »

Les grenouilles se découragèrent rapidement, sauf une qui continua de grimper malgré le public qui continuait : « Vraiment pas la peine, c'est beaucoup trop haut ! »

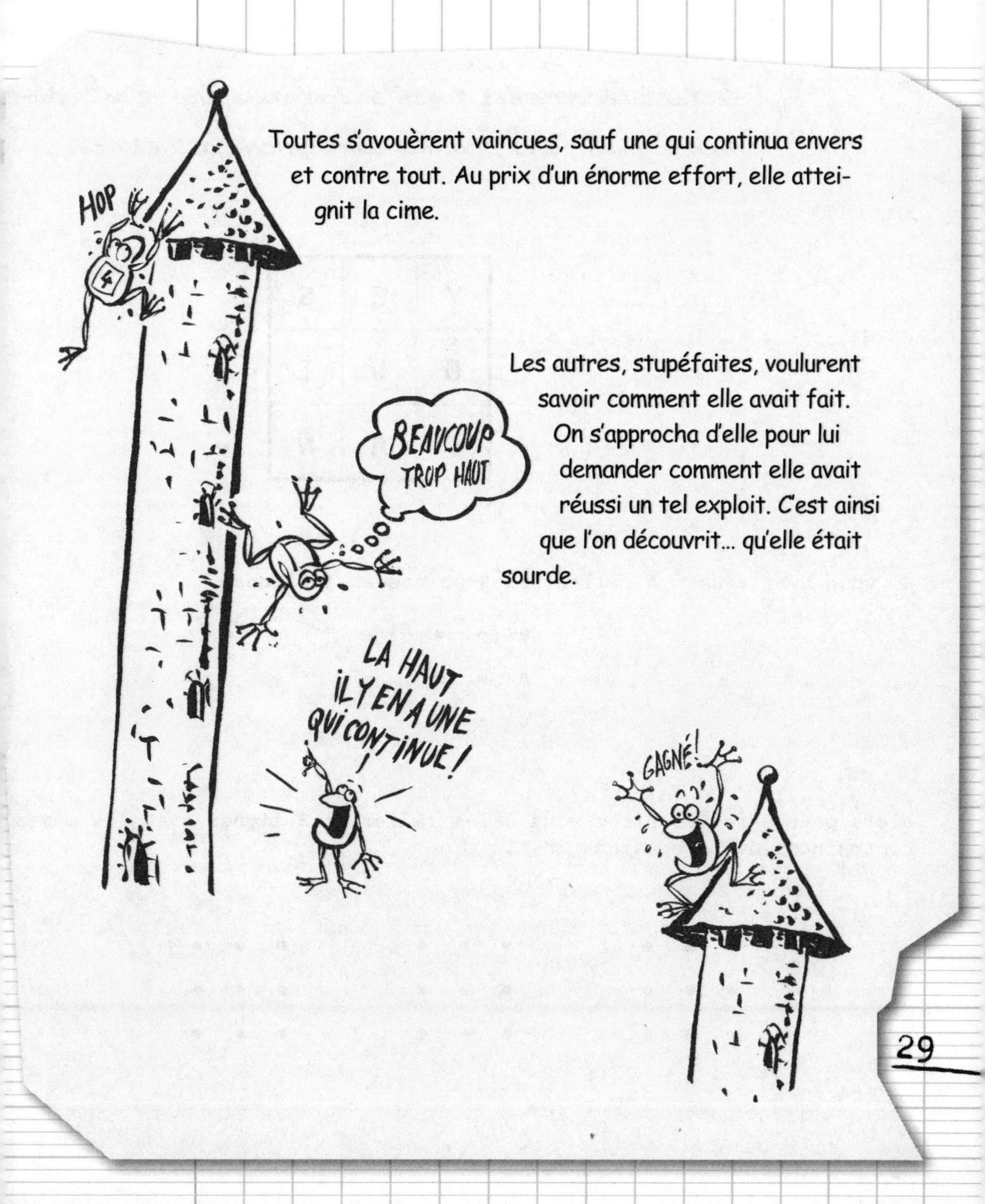
Toutes s'avouèrent vaincues, sauf une qui continua envers et contre tout. Au prix d'un énorme effort, elle atteignit la cime.
HOP
BEAUCOUP TROP HAUT
Les autres, stupéfaites, voulurent savoir comment elle avait fait. On s'approcha d'elle pour lui demander comment elle avait réussi un tel exploit. C'est ainsi que l'on découvrit… qu'elle était sourde.
LA HAUT IL Y EN A UNE QUI CONTINUE !
GAGNÉ !

Restez à l'écoute des conseils (dont vous jugerez de la pertinence) mais soyez sourd(e) aux a priori castrateurs.

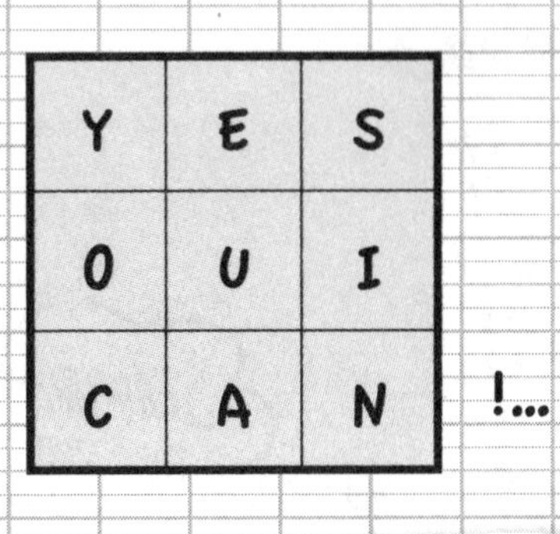

Si vous avez réussi à relier les 9 points en **4 lignes**,

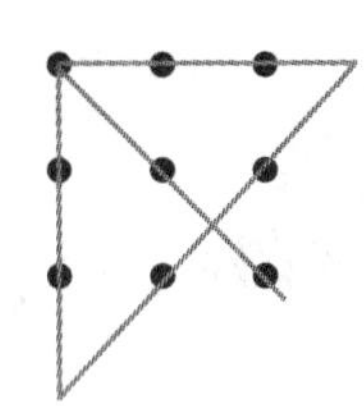

alors peut-être réussirez-vous à les relier en **3 lignes** avec les mêmes contraintes de la consigne initiale.

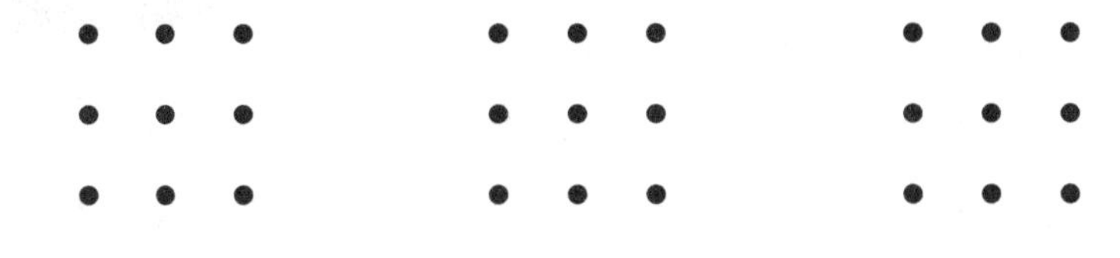

Peut-être est-ce impossible... Comment le savoir ?

Pendant de nombreuses années, j'ai fait faire cet exercice en stage de formation. Il était fréquent que quelqu'un me demande si c'est possible. Parfois je répondais **oui**, ce qui avait pour effet que la personne continuait de chercher. Parfois, par provocation, je répondais **non**. Que croyez-vous qu'il se passait dans ce cas ? Eh bien, la personne n'éprouvait plus de motivation à chercher.

Pourquoi m'accorder ce pouvoir de celui qui sait ce qui est possible et ce qui ne l'est pas ?

Ceux qui trouvent sont ceux qui cherchent.

Ceux qui cherchent :

- sont convaincus que c'est possible de trouver, ou bien
- ignorent si c'est possible mais cherchent quand même.

Ceux qui sont convaincus que c'est impossible ne cherchent pas. Si j'affirme : « Ce n'est pas possible ! », c'est peut-être parce que je n'ai pas l'humilité de dire simplement :

« Moi, je n'ai pas trouvé. Mais vous, vous trouverez peut-être... »

« Les grands ne nous semblent grands que parce que nous sommes à genoux. Levons-nous ! »

La Boétie

Parmi les inventions les plus célèbres, il y a l'ampoule électrique. Thomas Edison et son équipe ne sont parvenus à trouver un matériau convenable pour le filament qu'après 6 000 tentatives.

À l'inventeur, on prête ce propos :

« Je n'ai pas échoué des milliers de fois.
J'ai juste trouvé des milliers de manières
de ne pas inventer l'ampoule à incandescence. »

L'échec ?

La notion d'échec est relative. Puisque rien d'important n'arrive du premier coup, pourquoi ne pas envisager d'emblée qu'il faudra essayer de nombreuses fois avant d'arriver au but ? Pour ce qui compte vraiment, pour ce qui est essentiel pour vous, combien de tentatives êtes-vous prêt(e) à faire ?

Pour réaliser mes rêves, que dois-je tenter sans être sûr(e) de réussir ?

Rêve	**Que dois-je tenter concrètement ?**	**Combien de fois suis-je prêt(e) à tenter ?**

Ce qui semble impossible est lié à des croyances invalidantes. Peut-être votre inconscient a-t-il en mémoire de vieux souvenirs de cours de mathématiques. On nous a enseigné qu'un point n'a pas de surface. Mais cette définition n'est vraie que dans le domaine abstrait de la géométrie. En revanche, pour être plus concret, si nous percevons un point avec nos yeux, c'est qu'il a une surface, une forme, une couleur. Nos 9 points ronds et noirs, une ligne droite peut donc les traverser à sa guise, au coeur ou dans leur périphérie. Ce qui permet de tracer des lignes obliques par rapport à l'axe des points.

Je n'ai pas assez l'esprit de contradiction pour affirmer que tout est possible. Je ne suis pas assez extrémiste ou manipulateur pour vous le laisser croire. En revanche, j'ai l'intime conviction que vos rêves les plus chers méritent que vous vous décarcassiez pour les réaliser. Et je suis convaincu aussi que si vous y mettez tout votre coeur, vous ne regretterez pas votre investissement.

Alors, ces 9 points en <u>une seule</u> ligne,

ça vous tente ?

Les regrets

Avez-vous des regrets ? Ce que je vous propose maintenant n'est pas très agréable.

Acceptez-vous de fouiller dans votre passé et d'en déterrer vos 10 principaux regrets ? Dans un premier temps, ne vous souciez pas des 3 colonnes de droite.

Mes regrets			

Remords, repentir, ..., ...,................,
Excuses, écœurement,................, ..., ...,
Griefs, grisaille, gémir, grincheux, ...,
Rancœur, ressentiment, ..., ..., ...,
Ennui, essoufflement, enfer................, ...,
Tristesse, tourment, torture, trop tard ? ....,
Spleen, souffrance, soupirs,................, ...,

Dans la deuxième colonne de votre tableau des regrets, mettez un F si ce que vous regrettez correspond à quelque chose que vous avez fait.

Dans la troisième colonne, indiquez PF si ce que vous regrettez correspond à quelque chose que vous n'avez pas fait.

Dans la dernière colonne, indiquez le degré d'amertume que vous éprouvez vis-à-vis de chacun de vos regrets. Définissez votre échelle d'amertume ou d'aigreur (par exemple de 0 à 10).

On ne regrette pas de la même façon ce que l'on a fait et ce que l'on n'a pas fait. Plusieurs études en psychologie montrent que ce que l'on regrette de n'avoir pas fait laisse durablement un sentiment plus pénible, plus amer.

Regrettez-vous amèrement certaines de vos audaces ?

L'audace

Edith Piaf n'a pas eu une vie facile mais elle l'a vécue à fond. Je vous souhaite d'être plus heureux qu'elle l'a été. Non, rien de rien ! Non, elle ne regretta rien.

Ce Petit Cahier n'a pas pour but de vous inciter à brûler la chandelle par les deux bouts. Comme nous allons le voir, réaliser ses rêves n'implique pas de tout sacrifier, de se brûler les ailes, de mettre tous ses oeufs dans le même panier. Le courage n'exclut pas la prudence. Mais il faut quand même une bonne dose d'audace pour vivre vraiment sa vie à soi.

Sauriez-vous déchiffrer ces quatre mesures ?

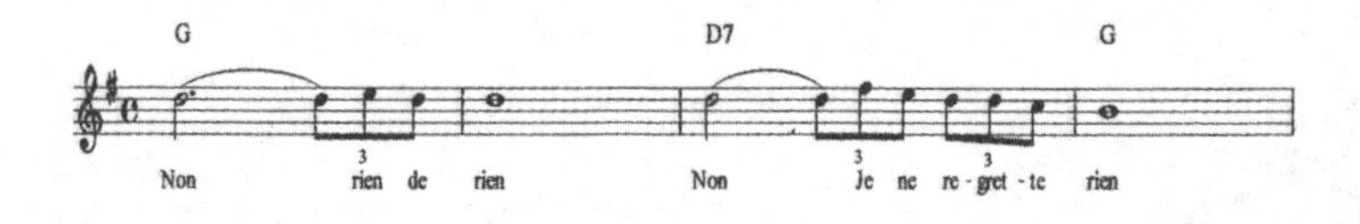

Avez-vous déjà rêvé de faire de la musique ? Si oui, avez-vous trouvé des prétextes pour ne pas apprendre ? Savez-vous distinguer une vraie bonne raison d'un prétexte ?

Vous montrerez-vous curieux même là où, a priori, on ne va jamais mettre son nez ? Dans le réseau incohérent de nos évitements...

Ce que j'aurais aimé faire et que je n'ai pas fait	Les raisons pour lesquelles je ne l'ai pas fait	Prétextes ou bonnes raisons ?

Les mauvaises raisons

Une série de prétextes peut épuiser les amis les plus empathiques. Pour fuir notre bien-être, nous pouvons faire preuve de beaucoup de créativité et de mauvaise foi.

- Tu rigoles, je suis nul !

- Comment peux-tu savoir que tu es nul si tu n'as pas essayé ?

- Ça se saurait si j'étais bon là-dedans.

- Comment le savoir si tu n'essaies pas ?

- De toute façon, c'est trop tard.

- Moi, je connais des musiciens qui ont commencé bien plus tard que toi. Pourquoi pas toi ?

- Parce que je n'ai pas l'oreille musicale.

- Comment tu sais ça ?

- Je chante faux.

- Sais-tu que la plupart des gens qui ne chantent pas juste sont des gens qui manquent de technique vocale, qui n'ouvrent pas assez la bouche, qui respirent mal ?

- Il faudrait prendre des cours, mais c'est trop cher.

- Tu connais les tarifs du conservatoire ?

- Non. Mais de toute façon, je n'ai pas le temps. Je suis débordé.

Le temps

Parmi les prétextes les plus classiques, il y a le temps. 24 heures chaque jour, que faisons-nous de ce capital ? Prenez un gros bocal en verre. Mettez-y des gros cailloux jusqu'à ce que le bocal ne puisse plus en contenir. Considérez-vous que le bocal est plein ?

Peut-être n'avez-vous pas bien visualisé les petits espaces entre les gros cailloux. Vous pouvez donc remplir ces espaces avec des petits cailloux. Remuez le tout et ajoutez d'autres petits cailloux qui prennent leur place jusqu'à ce que plus aucun ne puisse entrer.
Considérez-vous que le bocal est plein ?

Il est vrai qu'avec du sable, on peut combler les vides. Remuez bien, remplissez !
Le bocal est-il enfin plein maintenant ?
D'accord, ajoutez de l'eau au tout. Quand le sable est totalement imbibé et que l'eau déborde, considérez-vous que le bocal est plein ?

En fait, ce n'est pas ce qui compte dans cette expérience métaphorique. Ce qui importe, c'est de savoir ce qui importe… En effet, que se serait-il passé si vous n'aviez pas mis les gros cailloux en premier ? Auriez-vous pu les introduire tous dans le bocal ? Certainement pas.
Dans cette comparaison, les gros cailloux sont les valeurs qui donnent du sens à votre vie. Le bocal, c'est selon l'échelle de temps, une journée, une semaine, votre vie… Les gros cailloux représentent ce qui est important pour vous. Les petits cailloux importent peu. Le sable et l'eau sont dérisoires.

Comment remplissez-vous votre vie ? De quelle taille sont vos rêves ?
Et quel temps leur consacrez-vous ?
Le temps est une ressource, tout comme l'argent et vos talents…
Qu'en faites-vous ?*

* Pour découvrir vos talents, il y aussi le "Petit Cahier d'exercices pour découvrir ses talents cachés", Xavier Cornette de Saint Cyr, Jouvence, 2009.

« Titille la vie ! Donne-lui envie de t'aimer
Tes rêves inassouvis qui sentent le renfermé
Pourquoi les réprimer ? Peut-être bien que t'en as bavé
Mais si ça continue, si t'as plus le goût à rien
Si le bonheur, tu crois que t'en es privé
Condamné, galérien
Je dis que si t'as pris perpète, c'est dans ta tête. »

La fuite de soi

Pourquoi vivons-nous la tête à l'envers ? Pourquoi ne sommes-nous pas en phase avec notre essentiel ? Pourquoi avons-nous une conscience si pauvre de nos authentiques priorités ?

La cause de cette fuite de soi est à chercher dans nos conditionnements bloquants. Ils sont issus d'une programmation très précoce. Tout bébé, le cerveau programmant (limbique) est déjà opérationnel. L'environnement éducatif remplit ainsi notre espace mental avec des idées simplistes du bien et du mal, en attendant que notre esprit critique se forge (ou pas !)

Avec le temps, ces pensées (croyances) et ces comportements (habitudes) tendent à se figer dans notre esprit et dans notre corps. Si nous n'y veillons pas, nos vies sont régies par des automatismes acquis et non par des choix conscients validés par notre intelligence.

Blocages et compensations

Les conditionnements bloquants ont une conséquence extrêmement pernicieuse : les mécanismes de compensation et de surcompensation*. Bien qu'assez complexes, leur genèse est simple et logique.

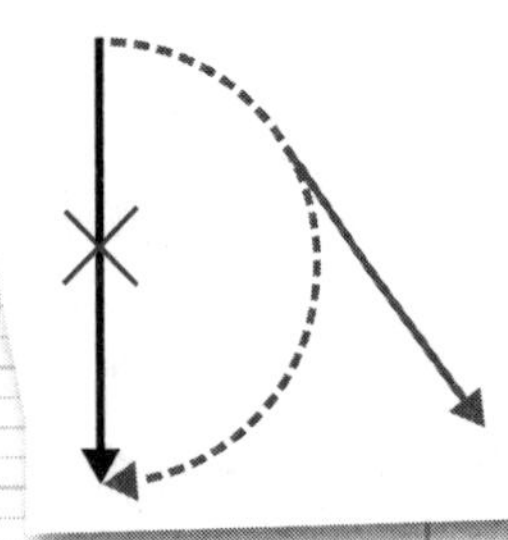

Lorsque dans un psychisme humain, une pensée ou un comportement est précocement bloqué, le cerveau automatique (limbique) s'organise pour contourner l'interdit et tenter quand même d'obtenir autrement les bénéfices qu'on aurait sans le blocage.

L'exemple le plus parlant est peut-être celui de l'estime de soi : si je ne peux pas m'aimer, alors les autres doivent s'en charger. Si la compensation est « efficace », je reçois de l'amour. Sans une bonne introspection, le mécanisme de compensation est rarement conscient. Sans une bonne préparation psychique, le rendre conscient peut engendrer un sentiment de culpabilité.

Quoi ?!
Je fais tout ça pour être aimé ?
Mais c'est minable !

* Les mécanismes de compensation sont brillamment expliqués dans l'œuvre du Dr Jacques Fradin (voir note page 47).

Pourquoi ne pas compenser, après tout ?

Le problème des comportements compensateurs est qu'ils sont très instables, difficiles à satisfaire. À peine a-t-on satisfait une attente compensatrice qu'on aspire déjà à recommencer car en général, ce n'est « jamais assez ».

La compensation comporte une tendance obsessive. Le premier niveau de compensation correspond plutôt à des comportements sociaux (à tendance envahissante, quand même). Un exemple ? Vous avez un blocage sur le théâtre et de façon intrusive vous poussez vos enfants à en faire. Il s'agit d'une compensation par procuration.

Là où les choses se corsent, c'est quand ce premier niveau de compensation est chroniquement insatisfait (échecs répétés) ou bien paradoxalement saturé (car quand trop c'est trop, le goût laisse place au dégoût). Dans ces deux cas d'écoeurement, il y a un refoulement secondaire amer et douloureux.

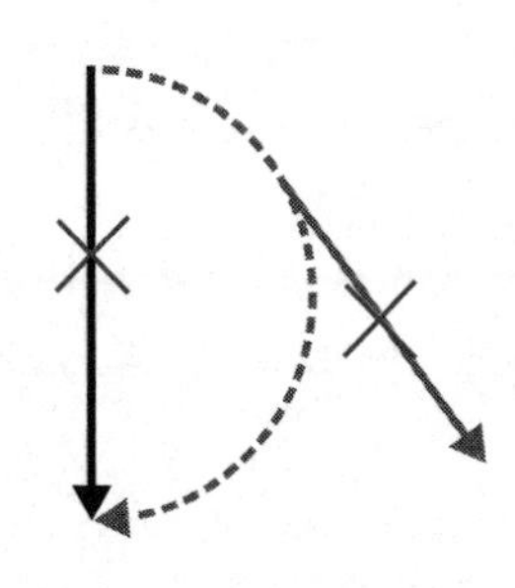

Contrairement au blocage précoce, là, le refoulement est tardif et consécutif à des expériences conscientes, multiples, frustrantes et douloureuses. Le terrain est propice à la déprime ou la dépression.

Les addictions

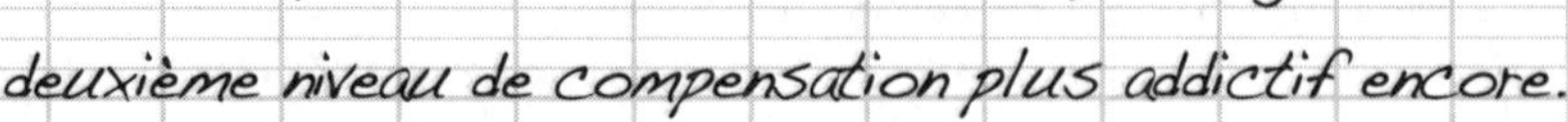

Une autre raison de ne pas abuser du confort fragile et illusoire de la compensation, c'est que l'usure de ces comportements finit souvent par engendrer un deuxième niveau de compensation plus addictif encore. Il est de nature consommatoire. Lorsque les plaisirs sociaux de la compensation sont taris, alors il faut rechercher dans la **sur**compensation des plaisirs immédiats qu'on achète ou qu'on deale. Ces drogues sont parfois légales (le chocolat, le tabac, l'alcool, les anxiolytiques, les antidépresseurs, les jeux de hasard et d'argent...), parfois illégales (le cannabis, l'ecstasy*, la cocaïne, l'héroïne...).

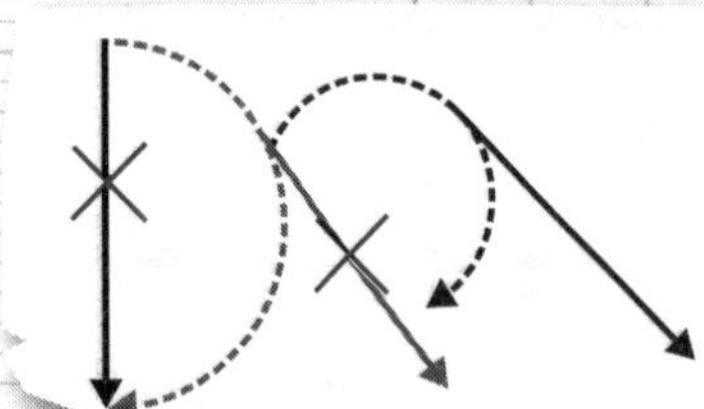

La compensation est déjà boulimique par nature. La **sur**compensation l'est davantage encore.

L'addiction physiologique est due à la nature de la substance consommée ; elle est symptomatique.

L'addiction psychologique est due aux mécanismes de régulation inconscients (blocage ➔ compensation ➔ surcompensation); elle est causale.

---

* "Taz" pour les intimes (voir H vertical des mots croisés p. 11).

N'étant probablement pas junky, vous êtes peut-être surpris par ces propos qui semblent nous décrire comme une bande de drogués !

Or, le premier niveau de compensation engendre une dépendance psychosociale qui peut déjà être assez perturbante.

Par ailleurs, au second niveau de compensation (la surcompensation), je rappelle que le surpoids, la tabagie, l'alcoolisme et la consommation de psychotropes concernent une majorité de gens dans les pays riches.

Quant aux plus pauvres – ou à ceux qui le deviennent peu à peu ou brutalement :

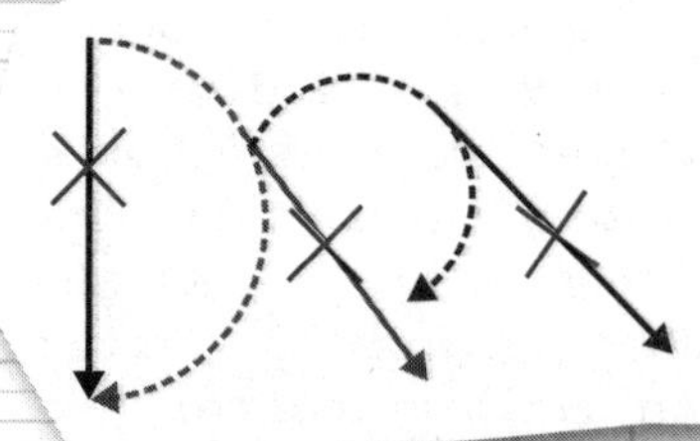

La baisse du pouvoir d'achat peut créer un troisième niveau de blocage qui empêche financièrement de se procurer les produits de la surcompensation.

La sensation de manque dans la surcompensation est plus douloureuse pour deux raisons :

- elle cumule psychiquement trois blocages successifs, donc trois niveaux de frustration.

- elle résulte aussi de la dépendance due à la composition chimique de certains produits consommés.

Autrement dit, que vous ayez ou non, les moyens de boire pour oublier que votre chéri(e) vous a quitté(e), trois voies s'offrent à vous, plus ou moins superficielles ou profondes :

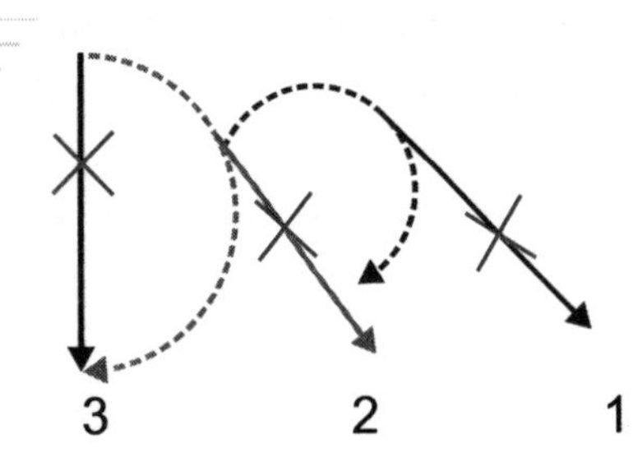

1. Le marchand, le dealer vous procure votre dose (il fournit la substance de surcompensation).
2. L'ami positiviste vous rappelle qu'un(e) de perdu(e), c'est dix de retrouvé(e)s. C'est lui qui vous emmène en boîte pour faire de nouvelles rencontres dans l'espoir que vous retrouviez quelqu'un qui vous aime (il vous aide à compenser plus efficacement)
3. Le thérapeute peut vous inviter à vous aimer vous-même.

À titre indicatif, en thérapie neurocognitive et comportementale (TNC*), la démarche de résolution des problématiques addictives consiste à suivre le chemin inverse du circuit de compensation : en partant des effets pour aller jusqu'aux causes. Ainsi, à partir d'une addiction (surcompensation consommatoire), on remonte au blocage secondaire (compensation sociale) ou mieux encore, au blocage primaire (interdit initial) qui les a engendrés. Débloquer le premier niveau de refoulement a pour effet de diminuer (ou de faire disparaître) les deux niveaux de pulsions compensatrices.

* La TNC, initiée par Jacques Fradin a été conçue à l'Institut de Médecine Environnementale. Lire "La Thérapie Neurocognitive et Comportementale", Fradin J. et Fradin F., Ed. Publibook Université, Paris, 3e édition (1990-2004).

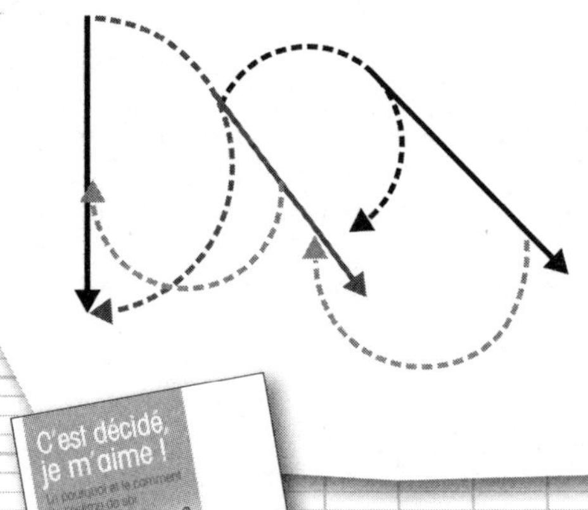

Nos rêves sont empêchés par des blocages conditionnés. Les marchands de rêve en toc profitent de nos dépendances psychiques pour nous vendre toute une palette d'«opiums» qui nous aliènent. La toute-puissance de la société de surconsommation pourrait s'effondrer si individuellement, chacun se libérait de ses pulsions compensatrices. Pour vivre enfin sa vraie vie.

Pouvez-vous identifier ce qui vous bloque dans la réalisation de vos rêves ?

Rêve	**Ce qui bloque en moi**

Les freins

Le rêve éveillé est un voyage, un cheminement. Quel que soit le véhicule qui nous propulse vers la destination, il comporte les commandes classiques : freins et accélérateur.

Vous aurez noté que tel qu'il a été orthographié, le mot freins est au pluriel. Vous est-il déjà arrivé d'accélérer à fond sans avoir desserré le frein à main ?

C'est ce qui arrive quand on est extrêmement motivé et qu'on piétine.

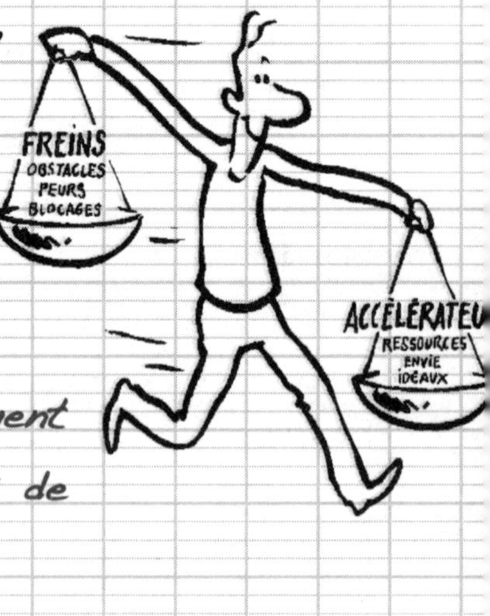

Il faut donc stratégiquement faire la balance des énergies de mouvement et d'inertie.

Pour monter au 7e ciel, il ne suffit pas d'avoir de l'essence-ciel dans le réservoir. Les freins doivent être bien réglés et ne répondre que sur demande, afin d'avancer à la vitesse qui convient. Foncer n'est pas forcément la bonne attitude pour vivre ses rêves. Il y a beaucoup mieux à faire que d'opter pour la devise « Ça passe ou ça casse ».

Les stratégies

Il est temps de parler de stratégie. Afin de ne pas caricaturer le doux rêveur mais de lui donner plutôt ses lettres de noblesse, voyons comment avoir les pieds sur terre et la tête dans les nuages. Cet équilibre vertical ne nous vient pas à la naissance ; ce me semble pourtant un enjeu d'incarnation majeur.

Lorsque j'étais âgé de 25 ans, j'ai réalisé un rêve magnifique. J'ai acheté un vélo au Canada et j'ai roulé jusqu'en Amérique du Sud. À mi-parcours, alors que je roulais sous un soleil généreux, j'ai laissé venir à moi deux images qui semblaient s'opposer. L'une était très aérienne, légère, presque éthérée. L'autre était terrestre, pesante, imposante.
Quelques images, des mots, des notes... je me suis arrêté, j'ai sorti ma guitare pour écrire et composer une chanson qui illustre cette délicate quête d'équilibre vertical.

« Il y a bien longtemps, ma maman, lentement
Mon papa, voletant, unissaient les éléments
Terre et ciel harmonisant, des rythmes différents
Oui mais jamais à contretemps
Cette union farfelue, cet amour imprévu
Allaient donner un hybride inconnu. »

« Dis-moi maman pourquoi, dis-moi papa comment
A-t-on besoin d'un toit qui n'est jamais changeant
Qui reste au même endroit, mais le monde est si grand
Si j'ai le choix, je pars maintenant
On a plus souvent qu'on croit le choix de son fardeau
Alors j'ai mis ma maison sur mon dos.

Né d'un papapillon et d'une mamantortue,
Je suis un papillon-tortue. »

À moins d'avoir une grande expérience, un voyage en solitaire, ça s'organise. À moins de n'avoir aucun frein, aucun blocage, aucune peur, un rêve nécessite une préparation qui doit s'inscrire dans une logique de projet. Autant l'équilibre vertical est délicat et nécessaire pour vivre pleinement la fabuleuse aventure de l'incarnation. Autant, l'équilibre horizontal (droite/gauche) dans l'usage de notre cerveau est précieux pour réaliser nos rêves.

L'intuition et le chaos inventif sont indispensables pour créer du neuf.
La structure et la logique sont également utiles pour ordonner les étapes d'un projet.

Cerveau gauche	**Cerveau droit**
Analytique	Analogique
Logique	Empirique
Mathématique	Intuitif
Séquentiel	Panoramique
Privilégie les mots	Privilégie les images
Part des détails pour aller vers le global	Part du global pour aller vers les détails
.../...	.../...

Un bon projet s'appuie sur un objectif clair, motivant et réaliste. Afin de ne pas vous noyer dans la pluralité de vos rêves, choisissez-en un et transformez-le en un unique projet. La réussite d'un projet vous donnera l'énergie (la confiance, la force...) d'en réaliser un deuxième, puis un troisième...

C'est petit à petit que l'oiseau fait son nid.

Pour optimiser vos chances de réussite, optez pour la politique des petits pas. Pour cela, vous devez préalablement mettre sur la balance chacun de vos rêves.

Pesez-les un par un !

Notre psychisme est très sensible à la logique du rapport coût/bénéfice. Être économe de ses rêves ne signifie pas rêver peu ou n'en réaliser aucun. Cela veut plutôt dire qu'on est un bon gestionnaire de son énergie vitale.

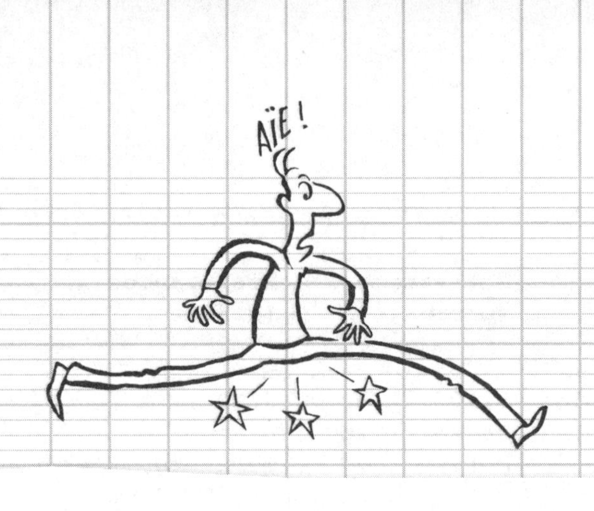

Commencez par un rêve qui coûte (relativement) peu et qui rapporte (relativement) beaucoup. Vous n'aurez pas le beurre et l'argent du beurre. Sans caricaturer le concept de volonté, je pense qu'il n'y a guère de rêves qui se réalisent sans effort. Vous pouvez trouver le meilleur compromis pour vaincre l'inertie. Vous savez que c'est souvent le premier pas qui compte. Alors décidez quel sera le premier ; il ne doit pas vous écarteler.

Sachez apprécier les petits pas. Votre verre est-il à moitié vide ou à moitié plein ? Amusez-vous avec la relativité ! Voici trois verres pleins et trois verres vides dans un ordre précis. Pouvez-vous faire alterner verre plein et verre vide, en ne touchant qu'un seul verre ?

À titre d'exemple, voici trois rêves de Dorian.

Rêve, objectif précis	**Motivation (moteur)**	**Résistances (freins)**	**Ordre de priorité**
Être champion départemental de saut en hauteur	**8/10** Je suis hyper motivé	**3/10** L'année dernière, j'ai fini 11e. En m'entraînant plus souvent, ça me paraît jouable	**2**
Traverser l'Atlantique en bateau à voile	**9/10** Ce rêve me touche prondément	**8/10** je me sens quasiment paralysé par la peur	**3**
Avoir un atelier dans mon sous-sol	**6/10** J'adore bricoler mais je ne suis pas organisé pour	**1/10** Ça fait trop longtemps que je me dis que je vais le faire, ça me saoûle. Je me sens prêt.	**1**

Commencer par la transat me semble un mauvais choix. Vu l'intensité des résistances, Dorian risquerait de se décourager et de verrouiller l'envie qu'il a de vivre plus intensément. Je lui suggère de commencer par l'atelier puis d'enchaîner peut-être sur son ambition sportive. La joie de réussir lui donnera du jus pour un troisième rêve, plus tard.

C'est à vous !

Remplissez le 5ème verre en vidant le contenu du 2ème mais ne remplissez pas la 4ème colonne du tableau ci-dessus tant que vous n'avez pas rempli les trois autres pour chacun de vos rêves. Comment y voir clair sur des priorités quand on n'a pas une vue d'ensemble ? Un bon choix se doit d'être éclairé par une connaissance et une réflexion approfondies.

Rêve objectif précis	Motivation (moteur)	Résistances (freins)	Ordre de priorité

COMBIEN MESURE LA MOITIÉ D'UN TOUT ?

FASTOCHE ! 3 METRES

Eh oui, le tout c'est de s'y mettre !

Pour parcourir 6 mètres, une tortue prend son temps et fait un premier pas qui

respecte ses ressources (son anatomie, son âge, son niveau d'entraînement...).

Alors choisissez bien votre premier pas. Vaincre l'inertie est le plus difficile. En dosant ce premier pas, vous diminuez cette difficulté et vous vous donnez toutes les chances de faire le second, puis de réussir. Mais avant de vous engager dans ce premier pas apparemment modeste et pourtant tellement transcendant, resituons la démarche de projet dans sa globalité.

1. Choisir un rêve, un seul (pour commencer). Cela **donne la direction.**

2. Mettre du poids dans la balance du côté positif en reliant ce rêve à des valeurs. Cela **donne de l'énergie.**

3. Enlever du poids dans la balance du côté négatif en regardant en face les peurs qui s'y sont accrochées. Puis considérer rationnellement les enjeux et les risques. Cela **donne de la légèreté.**

La combinaison des points 2 et 3 **donne de l'enthousiasme.**

4. Tracer un parcours, définir les étapes de réalisation. Cela **donne de la vision, de la perspective.**

5. Ensuite vient la décision formelle. C'est un **engagement personnel** que vous pouvez prendre avec solennité, face à un miroir, par exemple.

Par amour pour moi, je m'engage à tout mettre en œuvre pour réaliser ce premier rêve qui consiste à :

____

____

Fait à…

Le…

Signature

6. Concevoir la première étape. Cela **donne un objectif intermédiaire.**

7. Mettre en œuvre toutes les ressources nécessaires (énergie personnelle, alliances, temps, argent, matériel, compétences…) pour atteindre le premier palier. Cela **donne des moyens.**

8. La décision est une pensée, une parole et un écrit qui engagent. C'est un déclencheur qui **donne le feu vert pour agir.**

9. L'action concrète vient enfin après la maturation abstraite du projet. Là, on se concentre sur l'atteinte du premier objectif intermédiaire. Cela **donne du courage et de la confiance.**

10. Tout bon projet doit intégrer des phases d'évaluation. Le principe de réalité nous échappe parfois mais nous rattrape toujours. Il faut donc de temps en temps faire le point et ajuster, recadrer car l'expérience nous apporte de précieux éléments d'adaptation. Cela **donne du réalisme et de l'efficacité.**

Par la suite, c'est l'alternance de l'action et de l'évaluation de l'action qui assure la cohérence de la mise en œuvre.

Mais peut-être trouvez-vous que cette approche méthodique et rigoureuse manque de romantisme et de spontanéité. On pourrait dire aussi qu'elle manque de folie. Si vous pensez cela, je suis assez d'accord avec vous. Ceux qui vivent leurs rêves avec facilité n'ont certes pas besoin de ce Petit Cahier d'Exercices. Quant aux adeptes du bovarysme, je les laisse rêver dans leur tête et pas dans leur être complet. Leur fiction velléitaire ne me fait pas rêver.

Posez le crayon où vous voulez sur la feuille. Sans relever le crayon, reliez les 9 points en ne traçant qu'une seule ligne droite.

Vous avez bien lu.

Une unique ligne droite !

Ne vous laissez pas manipuler par les castrateurs des possibles. Certes, il y a des choses difficiles à faire. Vous mettrez la barre où vous voudrez, où vous pourrez.

Il existe un plaisir d'une rare intensité qui flirte allègrement avec le bonheur. Il consiste à biffer, à rayer une ligne sur une liste, la liste de vos rêves.

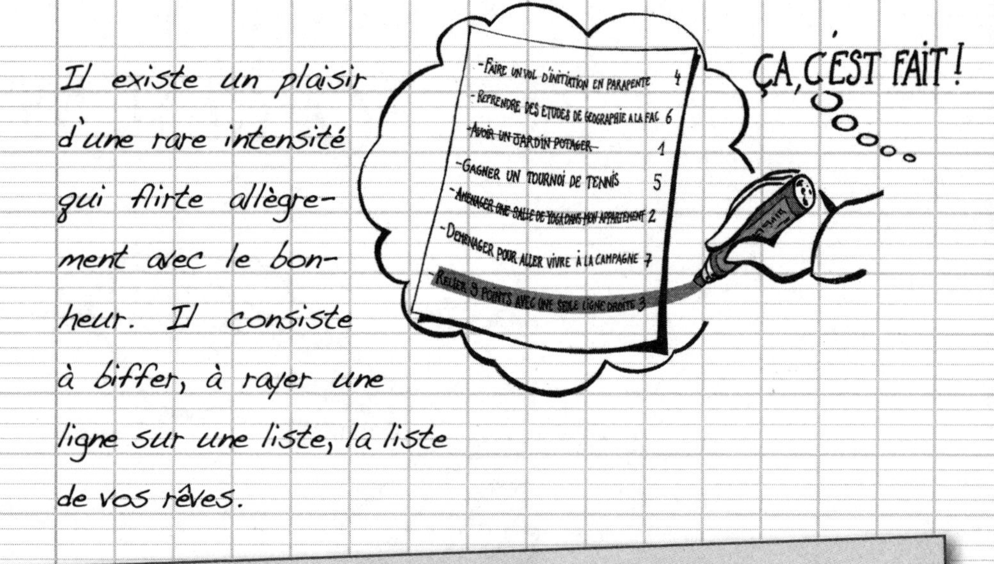

Vous avez toute votre vie pour biffer chaque élément de votre liste.

JE NE VOUDRAIS PAS MOURIR AVANT D'AVOIR FAIT ÇA ET ÇA PUIS ÇA…

La peur de la mort masque souvent une peur de vivre. La peur de la mort disparaît quand on entreprend de vivre vraiment.

Pourquoi n'utiliser que les outils que l'on a sous la main ? Il existe d'innombrables ressources. Si votre fin est juste, cherchez et trouvez les moyens adéquats !

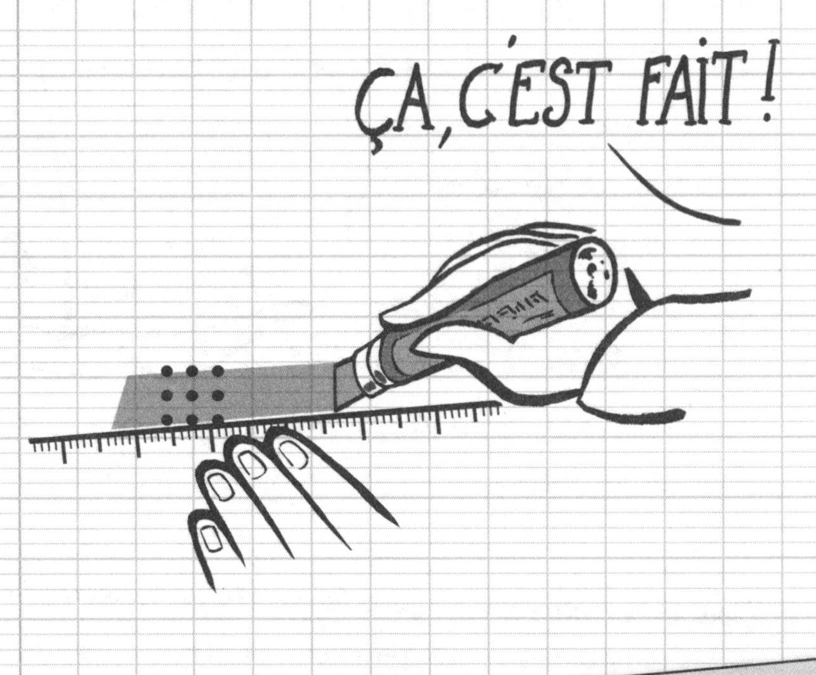

« Et titillez la vie !
Elle aime qu'on la caresse.
Sans aucun préavis, mettez-lui la main aux fesses !
Mettez-y toute votre tendresse !
Donnez-vous une chance de plus !
Ce qu'il vous faut, est-ce un électrochoc ?
Si vous vous sentez coincé(e) dans les starting-blocks,
Croyant qu'il n'y a plus d'issue,
Délacez vos pompes et continuez pieds nus ! »

Que retenez-vous d'important ?

Que décidez-vous ?

Par amour pour moi et pour mes futurs lecteurs,
je m'engage à mettre tout en oeuvre
pour écrire ce Petit Cahier d'exercices
pour oser réaliser ses rêves.
Puisse -t-il les aider à vivre une vie de rêve !

Fait le 4 décembre 2009
À Saint -Julien-en-Genevois
Signé Hervé Magnin

Solutions des jeux

Page 4

« S'envoler dans les airs, ça faisait bien **RÊ**ver
On s'est longtemps moqué de ceux qui croient **POS**sible
Ce que la foule ignore, il y a urgence à **INNO**ver
Mais la majorité se croit aveugle à l'**INVI**sible. »

Page 5

« Quand je ne crois plus à mes **RÊ**ves
Ou que je vis ceux des **AU**tres
Quand moins souvent mon poing se **LÈ**ve
Que je ne suis plus des **VÔ**tres.«

Page 9 (rébus)

« Si vous voulez vraiment rêver, réveillez-vous ! »

p. 12-13

	A	B	C	D	E	F	G	H	I	J	K
1	I	M	A	G	I	N	A	T	I	O	N
2	R	E	V	E	D	E	G	O	S	S	E
3	E	V	E	N	E	M	E	N	T		G
4		E	N	T	E		N		H		L
5	A	N	T	I	L	L	E		M	O	I
6		T	U	L	L	E	S		E	R	G
7	P	E	R	L	E		I	N	S	U	E
8		S	I	E	S	T	E			S	M
9	A		E			O		O	P		M
10	D	O	R	M	O	N	S		O	S	E
11	R	E	S	I	G	N	A	T	I	O	N
12	A	I			R	E	G	A	L	A	T
13		L	I	B	E	R	E	Z		P	

« Nous **DORMONS** tous **NEGLIGEMMENT** sur une mine d'or
Ne cherchons pas ailleurs, fouillons à l'intérieur !
Rien en surface, il faut creuser ; chasse au trésor
AVENTURIERS de soi, apprivoisons nos peurs !
Unir mon **IMAGINATION** à celle des autres
Mais que dire d'une **RESIGNATION** tellement précoce ?
N'étouffez pas les nôtres et **LIBEREZ** les vôtres !
Petits et grands, gardons vivants nos **REVE**s **DE GOSSE** !
Petits et grands, gardons vivants nos **REVE**s d'enfant !

Page 23 (citations)
1F ; 2E ; 3B ; 4A ; 5C ; 6D.

Page 29

Y	S	C	A	N	U	I	O	E
U	A	N	E	I	O	S	Y	C
I	O	E	S	Y	C	U	A	N
N	U	A	Y	E	S	O	C	I
E	C	S	O	U	I	A	N	Y
O	I	Y	C	A	N	E	U	S
S	Y	U	N	O	E	C	I	A
A	E	O	I	C	Y	N	S	U
C	N	I	U	S	A	Y	E	O

Les chansons d'Hervé Magnin citées dans ce « Petit Cahier » sont extraites des albums « Silence, on tourne ! » 2009 et « La part du colibri », 2012.
p.4 : « Rêves de gosse », 2009 ; p. 10 : « Rêves de gosse »,2009 ; p.25 : « I have a dream », 2011 ;
p. 27 : « I have a dream », 2011 ; p.41 : « Titille la vie », 2001 ;
p.49 : « Le papillon-tortue », 1989.
p.60: « Titille la vie », 2001.

Achevé d'imprimer sur les presses de l'Imprimerie Darantiere à Dijon-Quetigny
en avril 2012 - Dépôt légal : avril 2012 - N° d'impression : 12-0437

Imprimé en France

Dans le cadre de sa politique de développement durable, l'imprimerie Darantiere a été référencée IMPRIM'VERT® par son organisme consulaire de tutelle. Cette marque garantit que l'imprimeur respecte un cycle complet de récupération et de traçabilité de l'ensemble de ses déchets.